D0708327

Hey iemand online? help me ff!

Ch@tgrlz Party!

zOen van mOi!

Leopold / Amsterdam

www.chatgrlz.nl / www.nandaroep.nl / www.leopold.nl

Eerder verschenen:
Vriendinnen voor Isa
Ch@tgrlz & -boyz
Isa vraagt verkering

Nanda Roep schreef ook:
Tanja's song
Tanja is verliefd
Roddels over Tanja
Tanja en de jongens
Tanja viert feest
Thomas en Taleesa; het verhaal van je leven

Copyright © Nanda Roep 2007
Omslagfoto Silvester Zwaneveld
Illustraties Georgien Overwater
Foto auteur Ronald de Hommel
Omslagontwerp Petra Gerritsen
NUR 283 / ISBN 978 90 258 5175 0

Met uitzondering van het laatste werden deze verhalen eerder gepubliceerd in *Tina*.

Inhoud

Een warm 'feest-ná-alle-feesten' voor Isa!

Brr, wat is het koud! Isa voelt de gure wind in haar gezicht striemen, ze kan bijna het cadeau voor Fleur niet vasthouden – haar vingers zijn ín de handschoenen nog verkleumd.

Ze heeft er wel zin in, hoor, maar nu het zo afgrijselijk koud is, denkt ze stiekem toch: wie is er nou op *zeven januari* jarig?! Helemaal aan het einde van de vakantie, ná:

1) de kerstdagen waarin Isa naar alle opa's en oma's mee moest (was wel gezellig, op zich) en waarbij ze zelfs wat extra dagen naar jeugdvrienden van haar ouders werd gesleept.
2) de vakantievoorstellingen die papa allemaal wilde bezoeken: toneelstukken, muziekuitvoeringen, een zelfs kerkkoor. Het was soms saaaaai...
3) Oud & Nieuw! Wat trouwens wel fantástisch was dit keer! Isa mocht met Kyra en andere buurtkinderen mee om een rondje door de buurt te lopen en toen kwamen ze Orlando tegen* – jippie, dat belooft véél goeds voor het nieuwe jaar!
4) het logeren bij tante Annuska aan zee. De zee heeft ze natuurlijk niet bezocht in deze vrieskou, maar het was bereleuk met haar tante!

Toen Isa doodmoe thuiskwam van al het slaaptekort dat ze overal had opgebouwd, schrok ze zich te pletter toen ze ineens bedacht dat ze óók nog huiswerk af moet hebben als school weer begint!

En toen begon Fleur, superlaat, echt twee dagen geleden

* Julian heet in deze verhalen nog Orlando, dus dit is voordat ze verkering krijgen (zie *Isa vraagt verkering*)

pas, over haar verjaardag. Isa wist niet eens dat ze in de vakantie jarig was!

Ineens kreeg ze op haar gewone mailadres een berichtje van Fleur. Normaal spreken ze elkaar elke dag op hun geheime internetplekje Ch@tgrlz, samen met Kyra en Sharissa, dus dit was echt ongewoon. Toen bleek dus dat ze jarig was en dat haar moeder en broer erop hadden aangedrongen dat ze Isa zou uitnodigen.

Op zulke momenten merk je ineens weer hoe extreem verlegen Fleur kan zijn, zeg, het is echt angstig gewoon. Hoe slecht moet ze wel over zichzelf denken als ze niet eens haar vriendin durft uit te nodigen?

Fleur schreef dat ze er niks over wilde zeggen op Ch@tgrlz, omdat ze de meiden er niet mee wilde lastig vallen. Ze was bang dat iedereen zich anders gedwongen zou voelen om te komen, omdat ze nou eenmaal – tja, wel wisten dat Fleur wist dat ze nog vakantie hadden en dat ze dan dus wel móésten komen... (Snap je het nog, haha?) Wel -tig keer schreef ze dat ze het echt, écht, ECHT zou begrijpen als Isa óók niet op haar verjaardag zou komen.

Maar natúúrlijk gaat Isa wel naar de verjaardag, graag zelfs, want Fleur is haar beste vriendin (samen met Sharissa en Kyra), en de enige van wie Isa een vriendschapskettinkje draagt. Als Fleur had gevraagd of ze gewoon voor de gezelligheid wilde langskomen, had Isa het ook leuk gevonden, want ze hebben elkaar al superlang niet gezien.

Het is alleen zóóó koud! Isa trapt zich een breuk maar zit nóg te rillen op haar fiets. Ze krijgt ook de gedachte aan koude dingen niet uit haar hoofd. Dit is wat er zo'n beetje door haar heen gaat tijdens het fietsen: het lijkt wel of er ijsblokjes in mijn trui zitten – niet aan denken – ik ben ook altijd zo'n koukleum; als het nog maar gewoon fris weer is, denk ik al dat ik tussen de pinguïns terecht ben gekomen.

Bibber bibber... dan moest ik van ijsschots naar ijsschots springen... Dan zou ik natuurlijk uitglijden, en in het vrieskoude water terechtkomen – niet aan denken, brr!

Het is ook zo ontzettend ver naar Fleurs huis, helemaal aan de rand van de stad. En niemand die haar kon brengen, en niemand om mee te praten.

Het is trouwens de eerste keer dat ze samen Fleurs verjaardag vieren, want vorig jaar kenden ze elkaar nog niet eens. Wat is alles toch snel veranderd sinds ze in de brugklas zit... Hoe zal het bij Fleur thuis zijn? Als ze Isa al bijna niet durfde uitnodigen, dan is het straks waarschijnlijk niet zo druk. Misschien is Isa wel de enige gast. Ach, dat is óók gezellig hoor, gaan ze gewoon lekker kletsen!

Het laatste stuk over de dijk is helemaal een marteling. De wind *fluit* gewoon tijdens het waaien, dat is toch niet normaal?! Isa is blij als ze eindelijk de helling af kan roetsjen. Maar vandaag ziet ze net dat ene stuk bevroren regenwater niet. Ze slipt met haar voorband over het ijs – glibber glibber.

Ze wil meteen wel bijsturen, maar door de kou is haar greep op het stuur niet zo stevig als die moet zijn. Ze *wil* wel naar links, en ze *merkt* wel dat ze begint over te hellen, dus ze *trekt* wel aan het stuur, maar toch glijdt ze al – au, au, AU! – met haar billen over de koude, harde, bevroren kiezelsteentjes.

De achterdeur zwaait open nog voordat Isa is opgestaan. Het is Tijn, de vriendelijke, altijd vrolijke, plagerige broer van Fleur – maar vandaag is die eigenschap even wat minder leuk... 'Hee Isa, zit je lekker, drankje erbij?'

Isa glimlacht, maar zelfs dat is moeilijk met wangen die paars zijn van de kou.

Tijn zegt: 'We hebben binnen nog wel een stoel voor je, hoor, of blijf je liever buiten?' Maar gelukkig komt hij toch naar haar toe, en helpt hij haar overeind.

Opnieuw zwaait de deur open. 'Hee Isa!' roept ook Fleur uitgelaten. 'Wat leuk dat je bent gekomen!'

Kijk, dat is dus het gekke hè? Dat je niet zomaar aan Fleur zelf merkt hoe onzeker ze is...

Fleur neemt Isa bij de arm en loopt snel met haar naar binnen. 'Ik zal je aan iedereen voorstellen,' zegt ze.

Isa drukt haar cadeautje in Fleurs handen. Dat pakje bleef dus gewoon, als bevroren, in haar handschoenen plakken tijdens de val! 'Iedereen?' vraagt ze verbaasd.

Want ja, als ze Isa nauwelijks durfde uitnodigen, en de andere chatgrlz niet heeft gevraagd, wie dan wel?

'De hele familie komt altijd met z'n allen naar mijn verjaardag.' Fleur haalt tevreden haar schouders op. 'Ze hebben er meteen hun nieuwjaarsborrel van gemaakt om iedereen de beste wensen te geven.' Zachtjes gaat ze verder: 'Ik krijg altijd de meeste cadeaus van iedereen, omdat ze allemaal het jaar goed willen beginnen.'

Isa lacht tegen Fleur. 'Wat leuk.'

Fleur trekt haar mee naar de woonkamer, en Isa's mond valt open. Allemachtig, wat een hoop mensen zijn hier! Fleur geeft haar een korte elleboogstoot. 'Veel hè? Voor sommige nichten en neven is dit de enige keer van het jaar dat ze iedereen zien.'

'Wauw...'

Op dat moment komt Tijn bij de meiden staan. 'Chocolademelk?' Hij geeft Fleur en Isa een warme beker, en gebaart dat ze even moeten wachten. Dan trekt hij uit zijn broekzak een bus slagroom en houdt die boven de bekers.

'Mmm,' doet Fleur, en ook Isa knikt dat ze wel wil.

Er zijn zoveel familieleden in de boerderij dat het binnen stikheet is geworden. Eindelijk, eindelijk krijgt Isa het vandaag nog warm! Ze gaat lekker naast Fleur zitten op een stoel langs de kant, en laat zich vermaken door het feestgedruis van de anderen. Ze had nooit gedacht dat dit zo'n heerlijke, perfecte middag zou worden! (En de terugweg, daar denkt ze nog maar even niet aan!)

Die avond zijn de meiden op Ch@tgrlz verbaasd dat het Fleurs verjaardag is:

Sharissademooie:

Jij bnt ook een mooie dt je nks zgt!

Kyyyyraaaa:

LeKkEr DaN, hEb Ik WeEr EeN kAnS gEmIsT oM dIe BrOeR vAn Je Te ZiEn!

Isaiszó:

Euh, vergeten jullIe niet Iets?

Sharissademooie:

Nee, de trt vergt ik niet – ik verwcht nog een stkje te krgen hoor!

FlowerFleur:

Sorry dat ik jullie niks heb gezegd. Ik was bang dat jullie zouden balen dat je dan moest komen.

Kyyyyraaaa:

BaLen?! Ik BaAl Nu PaS eChT dAt Ik NiEt MóChT kOmEn!

Sharissademooie:

Ja, nu heb ik de hele mddg met de twlng in huis geztn.

Isaiszó:

Hoho, jullIe vergeten Iets.
Sharissademooie:
Hzo?!
Kyyyyraaaa:
WiJ mOcHtEn NiEt KoMeN – DaT vErGeEt Ik HeUs NiEt ZoMaAr...
Isaiszó:
Nee, iets ánders! Als iemand jarig is...
Sharissademooie:
Wt wl je nou mns?!
Isaiszó:
Je moet nog Iets tegen FleUr zeggen!
Kyyyyraaaa:
O jA. GeFeLiCiTeErD zEkEr.
Isaiszó:
Hèhè.En Sh@rissa ook?
Sharissademooie:
Oké, oké. Gflctrd.
FlowerFloor:
Dankjewel.
Isaiszó:
Zo, en dan is nu alles weer goed.

Voor Ch@tgrlz Party *heeft Nanda de bezoekers van* www.chatgrlz.nl *gevraagd om hun feestblunder in te sturen. Hier een paar inzendingen.*

— Huilen —

Ik zit op korfbal en daar was een filmavond, mijn vriendin en ik waren als een van de eersten. We gingen Tarzan kijken en die was superzielig!

Maar ik met mijn grote mond zei dat ik toch niet ging huilen, want een jongen had gezegd dat er sowieso een meisje zou huilen.

Wat gebeurde er: ik ging huilen, en het allerergste is dat ik hem leuk vind – ik dacht echt dat hij me er het hele jaar mee zou achtervolgen!

Maar dat deed hij niet: hij vond het juist helemaal niet erg!

Een week later vroeg hij me verkering...

— Verkleedfeest —

Ik gaf vorig jaar een feest voor de hele klas, de jongens moesten als meisjes en de meisjes als jongens verkleed.

Mijn buurman zou ook komen, en dan verkleed zijn als vrouw: travestiet, dus.

Hij had een roze jurk aangedaan die best wel lang was, ballen eronder gepropt en een roze tasje meegenomen met een roze pruik. Het zag er heel leuk uit. Iemand uit mijn klas die was heel bang voor hem, dus mijn buurman haar de hele tijd achtervolgen...

Toen zei hij tegen haar: 'Ik ga naast je zitten, of je gaat de modeshow lopen.' Zij ging dus toch maar de modeshow lopen – en gleed toen onderuit!

Helemaal voor schut *of course*.

Mijn buurman moest lachen en wilde haar oprapen, hij kwam overeind maar stond per ongeluk op zijn jurk. Hij gleed uit over zijn jurk!

Toen lagen ze daar alletwee.

Hahaa, het was heel grappig om te zien. Gelukkig konden ze er wel om lachen.

Een sneaky pyjama-party voor Isa

Met een rugzakje om belt Isa aan bij Kyra. ‘Hier is het,’ zegt ze overbodig. Sharissa en Fleur knikken. Ze zijn een beetje stil, maar dat komt omdat ze nog nooit samen een pyjama-party hebben gedaan. En misschien zijn ze óók wel stil omdat ze allemaal nog a) té verrast zijn vanwege de uitnodiging, en b) ontzettend verbaasd zijn dat het doorgaat óók. Kyra begon er namelijk vanmorgen pas over!

Kyra doet zo snel open, dat het lijkt of ze op de uitkijk heeft gestaan. ‘Jullie zijn er!’ roept ze enthousiast. Ze trekt Isa hard naar binnen, voor haar gevoel vliegt die een metertje door de lucht met rugzak en al...

Isa ziet hoe Sharissa haar ogen uitkijkt in de enorme hal van Kyra’s huis, met de dure kroonluchter. Die hal is al bijna even groot als Sharissa’s hele *woonkamer*!

Ook Fleur staat er een beetje verlegen bij. Haar boerderij is óók groot, maar natuurlijk lang niet zo luxe. Aan de kapstok hangen wel vijf winterjassen van Kyra. Als ze wil, kan ze elke schooldag een andere aan...

‘We gaan meteen naar boven,’ zegt Kyra. Maar als ze haar voet al op de traptrede heeft, gaat de deur van de woonkamer open. Het is haar moeder – de tante van Isa.

‘Dag meiden,’ zegt ze vriendelijk, ‘dus jullie komen logeren?’

‘Hoi tante,’ zegt Isa lief. ‘Ik moet de groeten doen van mijn moeder.’

Kyra draait met haar ogen. ‘Niet logeren, ma, we houden een *pyjama-party* – duh!’

Ze doet nog drie stappen naar boven en zegt: ‘Ik kom straks chips en cola halen.’

Tante Karin haalt haar schouders op. 'Ach, ik begrijp ook wel dat jullie meteen naar boven willen. Ga maar, ik zet lekkers klaar. Veel plezier, meiden!'

Boven laten ze hun rugzakken met een plof op de grond vallen, en Kyra zegt dat ze allemaal – meteen, gauw – hun haren naar achteren moeten binden.

'Gaan we niet eerst onze pyjama's aandoen?' vraagt Fleur.

Kyra schudt haar hoofd. 'Nee, we beginnen met een scrub.'

'Een wát?'

'Een scrub,' antwoordt Sharissa met een zucht. 'Kennen jullie dat soms niet op de boerderij?!'

Isa komt gelijk tussenbeide. 'Ik heb het ook bijna nooit gedaan, hoor.'

'Weet ik veel,' sputtert Fleur. 'Hoe moet ik zoiets nou weten?!'

Kyra spuit een kloddertje gel op haar hand en wrijft er overheen tot het een schuimig goedje wordt. Dat smeert ze op het gezicht van Fleur. En ook een op dat van Isa. En van Sharissa. En tot slot – een laatste klodder – op haar eigen gezicht. Daarna wil ze het metéén afspoelen, wat heeft ze toch een haast!

Als ze boven Kyra's wasbak staan, komt haar moeder binnen met een dienblad vol lekkers: een zak chips, drop, een fles cola en zelfs spekjes – mmm.

'Hee,' vraagt ze, 'hebben jullie geen pyjama's aan?'

'Nee.' Kyra pakt het dienblad.

'Maar het is toch een 'piejaama paartie'?'

Isa moet lachen, maar Kyra begint onverwacht hard te roepen: 'Dan doen we onze pyjama's wel aan. Sjeez!'

Fleur en Isa kijken elkaar indringend aan. Er is iets. Maar wat?

Opvallend genoeg is Sharissa de eerste die probeert: 'Die pyjama's zijn toch eigenlijk nou net het leuke van een pyjama-party?'

'Jawel, maar dan moet ik straks-' Kyra stopt met praten.

Isa trekt haar wenkbrauwen op. 'Wat moet je straks?'

'Niks.' Kyra schudt haar hoofd en begint mopperig haar pyjama aan te trekken. Het is een zacht, glanzend jurkje. Roze. Eigenlijk is het een heel lieve pyjama, terwijl je bij Kyra wel wat brutalers zou verwachten.

Ze beginnen zich allemaal uit te kleden, en zich alvast te verontschuldigen voor de pyjama's die ze bij zich hebben. Ze worden lacherig – het feestje komt nu eindelijk een beetje op gang.

Ze trekken allemaal enorme sloffen uit hun tas, met een kip erop (Fleur), een leeuw (Sharissa), gigantische tijgertenen (Isa) en beginnen steeds harder te giechelen, als Kyra ineens vraagt: 'Hoe laat is het?'

Het is negen uur.

Kyra schrikt zichtbaar: 'Zo laat al!'

Ze begint spullen uit haar kastje-bij-de-spiegel te trekken en zonder te kijken op haar bed te smijten. Grijp: crème. Gooi: maskertjes. Werp: haarkrullers (een regen van rollertjes valt op het bed). Smijt: lippenstiften. Het ziet eruit zoals het in strips wel eens wordt getekend: alsof Kyra acht armen heeft die tegelijk in een grote boog honderden spullen tevoorschijn trekken.

Dan draait ze zich met een verhit hoofd om en roept: ‘We moeten beginnen!’ Ze grijpt Fleur bij de arm (‘auw!’) en begint een masker op haar gezicht te smeren (‘wacht, stop, bfrr...’).

Dan is voor Isa de maat vol. Ze wil nú weten: ‘Kyra, wat ís er toch de hele tijd?’

‘Niks, niks...’

‘Je hebt ons toch gevraagd voor een pyjama-party, of niet?!’

‘Jawel, jawel...’ Kyra begint gauw aan het gezicht van Sharissa. ‘Maar dat is natuurlijk eigenlijk een dekmantel.’

‘Dékmantel?!’

Kyra knikt. ‘Voor het échte feest!’

De stilte die in haar kamer valt, is bijna hoorbaar. Huh?

Sharissa is de eerste die snapt wat er aan de hand is: ‘Shiiiit, ze gebruikt ons gewoon!’

Niet waar, nee toch!

Isa kan het niet geloven...

Is het echt?

Met een enorme zucht laat Kyra zich achterover op bed vallen, languit, dwars over alle spullen heen. ‘Sorry, maar het gaat om zo’n vèèèt feest, en ik heb nog steeds huisarrest!’ Ze komt overeind en negeert de verbaasde blikken van de meiden. ‘Ik dacht: als jullie vroeg gaan slapen, kan ik er alsnog stiekem heen.’

Het is stil...

Ze kucht en probeert: ‘En als jullie meegaan?’

‘Doe niet zo raar,’ zegt Isa.

Fleur schudt haar hoofd. ‘Ik heb mijn moeder gezegd dat we hier zouden zijn.’

Kyra trekt een pruillip. ‘Maar ik wil zooo graag. Er komt een jongen die is zooo cute! Echt waar, ik móét erheen.’ Ze kijkt de meiden vragend aan en zet een klein stemmetje op. ‘En als ik het héél lief vraag?’

‘Nou ja, zeg,’ puft Fleur boos.

‘Wat ben jij een trut,’ zegt Sharissa.

Isa zucht.

‘Ik ga toch,’ besluit Kyra.

‘Nou, dan eten wij al je chips op,’ zegt Sharissa en ze drukt de zak tegen zich aan.

‘En als je moeder komt, ga ik niet tegen haar liegen,’ vindt Fleur.

‘Oké,’ knikt Kyra. ‘Maar zullen jullie alsjeblieft niet zelf naar haar toegaan om me te verraden?’

Isa zucht. ‘Alleen als we later dit jaar een échte pyjamaparty krijgen.’

‘Afgesproken.’ Ze kijkt de meiden dankbaar – maar niet schuldig – aan. ‘Dan moeten we eerst even alles doen om het net echt te laten lijken, oké?’

Dus nemen ze het er in hoog tempo van!

1) Ze smeren zich in met alle lekkere dure crèmes van Kyra.
2) Het haarmasker van Kyra is nog precies genoeg voor twee hoofden. (Fleur en Isa ruiken nu als lentebloempjes...)
3) Met de föhn proberen ze een glad model in Sharissa’s haren te krijgen, ook al roept Sharissa dat je daar een *stijltang* voor nodig hebt!
4) Ze maken zich op in alle kleuren van de regenboog; ieder oog krijgt drie andere kleuren. Kyra tekent bij Isa een hartje op haar wang met lippenstift, en Sharissa krijgt muziekknootjes. Fleur maakt bij Kyra een ordi-look en tekent dikke zwarte lijnen onder en boven haar oog. Kyra komt niet meer bij en proest dat het onderhand laat begint te worden, ze moet naar het feest.
5) Ze kijken televisie terwijl Kyra zich stilletjes weer aankleedt – natuurlijk heeft ze een flatscreen op haar kamer. Elke keer als Kyra in een minirokje tevoorschijn komt, schudden de andere meiden het hoofd en moet Kyra iets anders aandoen. Het lijkt wel een scène uit een film.

6) Ze helpen Kyra om haar haren sexy in model te krijgen. Dus maken ze palmboom-staartjes bovenop haar hoofd, en Sharissa probeert de Heidi-vlechtjes op Kyra uit. ('Probeer toch eens een avond Tiroler-sexy!' lacht Sharis – en ook Kyra komt niet meer bij.)
7) Lacherig gaan de meiden naar de badkamer om net-alsof-te-tanden-poetsen, en net-alsof-te-plassen, zodat Kyra zichzélf kan optutten.

8) Als ze terugkomen op Kyra's kamer, heeft die tot hun verbazing haar pyjama weer aangetrokken. Ze kijkt de meiden ernstig aan – moet ze nou huilen? 'Het is hier zo gezellig,' fluistert ze. 'Mag ik toch bij jullie blijven?'
9) Dus nestelen ze zich met zijn vieren in Kyra's grote bed voor de rest van de film, en de rest van de snacks...

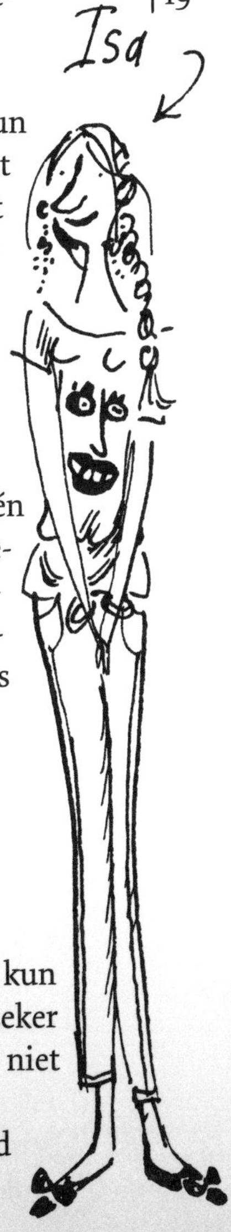

Vanavond is het stil op Ch@tgrlz, want ze zijn voor één keer *live* samen op dit tijdstip. Niemand is boos, niemand doet stiekem, niemand is verdrietig of onzeker. Ze zitten alleen maar in hun pyjama's tv te kijken, en doen verder niks. Behalve natuurlijk chips eten, met een brede lach op alle gezichten...

Kledingtips Isa

Kleding:

- Donkerblauwe skinnyjeans. Met een figuur als Isa kun je skinnyjeans prima hebben. Pas op als je onzeker bent over billen en heupen, deze jeans verhullen niet veel!
- Grijze T-shirt-dress met groot glitter/glimmend gezicht
- Zwarte ballerina's met strik

Make-up:
- Zilveren oogschaduw, niet al te veel
- Mascara
- Naturel lipgloss

Tip: Als je je ogen zwaar opmaakt, houd je lippen dan naturel, en andersom

Accessoires:
- Oorbellen: hangers met een strikje en kraaltjes.
- Eventueel zilveren armbanden

Tip: Bij een opvallende T-shirt-dress houd je het rustig met accessoires, het T-shirt is al druk genoeg.

Haar:
- Een losse vlecht.

Tip: vind je je vlecht te warrig worden? Steek dan de losse plukjes op met schuifspeldjes.

Recepten voor een filmfeestje (op koude dagen):

— Meidenchoco's —

Smelt witte chocolade in een pannetje, en doe er wat rode kleurstof doorheen zodat het roze wordt. Roer er dan pinda's of cornflakes doorheen (of allebei!) Doe een paar lepels van deze 'meiden-choco's' op je feestbordjes, en zet ze in de koelkast om hard te worden.

pinda rotsje

pinda. rotsje

— Filmpizza —

Koop kant-en-klare pizzabodems bij de supermarkt. (Je kunt ze ook zelf maken van bloem en boter, maar wij willen tijd overhouden om te kletsen!) Smeer er tomatensaus uit een potje over. (Die saus kun je ook zelf maken, maar dan moet je zo uitkijken voor vlekken op je nieuwe jurk!) Strooi er geraspte kaas uit een zakje overheen. (Die kaas kun je ook zelf raspen, maar dan kunnen je pas gelakte nagels breken!)

Een paar lepels groene pesto zijn er heerlijk over, en eventueel nog wat brokken mozzarella-kaas. In ieder geval nog zout en peper, en daarna gaat de pizza 10 – 15 minuten in een voorverwarmde oven (225 graden).

Nu heb je precies genoeg tijd om iedereen ervan te overtuigen dat jullie echt jóúw keuzefilm moeten zien, en die in de dvd te stoppen – en dan is je pizza al klaar!

— Popcorn —

Doe een bodempje olie in een steelpannetje en schud er wat droge maïs in. Steek er nu een zacht vuurtje onder aan, en – heel belangrijk – doe de deksel op de pan! Wacht zo even geduldig, en na een tijdje hoor je iets ploppen. Eerst één plopje, dan twee, en al snel zullen het er tientallen door elkaar zijn. De maïs spat uit elkaar tot popcorn, mmm! Als het weer stil wordt, doe je het vuur uit en strooi je zout of suiker over de maïs.

Isa wordt hyper op het kleuterfeest

Even zien... ze hebben alles klaarstaan om te gaan koekhappen, en om snoepjes te zoeken uit een waterteil. (Let op: handjes op de rug!) Sharissa is in de buurt nog wat pijlen op de stoep aan het tekenen voor de speurtocht – nou, Isa vindt dat ze een superleuk kinderfeestje voor Damian en Davina hebben bedacht, hoor!

De tweeling wordt vandaag vijf. De hele dag herhaalt Isa dat ze nu al écht groot zijn.

'Wel de grootsten van de klas!' knikt Damian dan trots.

Isa aait over zijn bol. 'In ieder geval de *druksten* van de klas!' Maar Damian en Davina zijn te klein om te begrijpen waarom Isa en Sharissa steeds om dat antwoord moeten lachen...

Sharissa's moeder is ook vrolijk vandaag, gelukkig. Ze heeft twee karaffen limonade op tafel gezet en wel vijftien bordjes met een plakje cake erop. Er komen veel kindjes, omdat het natuurlijk het feestje van twéé jarigen is. Vandaar dat Isa is komen helpen. En omdat ze al die kleutertjes schattig vindt, daarom ook.

Op de tafel staan verder drie spuitbussen slagroom, een schaaltje smarties, hartjes, glitterpilletjes, beertjesdropjes en – ach, eigenlijk gewoon voldoende om te zorgen voor een *sugar rush*. Haha, daar maken Sharissa en Isa al de hele dag grapjes over; de *sugar rush*.

Dat is dat je zóveel suikers hebt gegeten, dat je er helemaal hyper van wordt. Tijdens de voorbereidingen gingen Sharis en Isa soms ineens midden in de kamer gekke bewegingen maken en lachend roepen dat ze *sugar rush* hadden. (Eén keer sprong Sharissa in de gordijnen, maar toen ze een luide ‘krak’ hoorde, liet ze die geschrokken weer los.) (Waarna de meiden slappe lach kregen.)

Of ze zeiden dat ze niet konden wachten tót ze die *sugar rush* eindelijk hadden.

Of ze riepen dat de tweeling altijd al hyper was, dus vandaag maar niet mee mocht doen met het taartjes maken. (Toen de arme kindertjes zich echt zorgen maakten of ze wel taart kregen, moesten ze van Sharissa’s moeder stoppen met die grapjes.) (Eigenlijk zei ze: ‘Hou eens op met die stomme geintjes.’)

Met een glimlach loopt Isa naar de deur om open te doen voor de eerste kleine gasten van vandaag. Ze bukt omlaag en zegt met een allerliefste lach: ‘Dag kleine feestganger – oeps!’

Het kindje (Isa heeft nog niet eens gezien of het een jongen of een meisje is) heeft zich langs haar benen naar binnen gewurmd en stort zich schreeuwend bovenop Damian: ‘Jééé!’

De ouders van het joch glimlachen verontschuldigend naar Isa: ‘Hij heeft er zin in’ en geven haar het cadeau dat voor Damian bedoeld is.

‘Het wordt ook hartstikke leuk,’ antwoordt Isa vol goede moed.

‘Veel plezier.’ De ouders draaien zich om. ‘Tot straks.’

Isa wil de deur sluiten en eens

bekijken welk vuurpijltje zonet langs haar naar binnen schoot, maar hij wordt van buitenaf weer opengeduwd.

'Ik ben er,' zegt een allerliefst meisje met lange, gouden lokken tegen haar. 'Waar is Davina?'

Isa wijst de weg en het meisje drukt haar cadeau in Davina's handen. 'Het is make-up,' zegt het kind en ze begint het papier open te scheuren.

'Even wachten, Sanne,' vindt de moeder van het voortvarende kleintje. 'Pas als alle kindjes er zijn, mag iedereen zijn cadeau geven.' Ze drukt een kus op haar hoofd en wenst haar veel plezier.

Bij de deur staat Sharissa al andere vriendjes te begroeten, en langzaam begint Isa het gevoel te bekruipen, dat het wel eens een hele lange, lawaaiige middag kan worden...

'Zetten jullie iedereen aan tafel?' vraagt Sharissa's moeder. 'Maar ze mogen nog niets aanraken, hoor.'

De komende acht minuten is Isa dus, samen met Sharissa:

- cadeaus uit de gretige handen van Damian en Davina aan het trekken
- kindervingers uit de schaal met smarties aan het vissen
- limonade in alvast vijftien bekers aan het schenken...
- drie bekers aan het optillen die meteen zijn omgestoten. (Sharissa rent de keuken in voor een vaatdoek, maar toch druipen twee straaltjes limonade op de grond; over de broek en stoel van een kind dat amper opzij schuift.)
- de mouwen aan het oprollen van de twee kindertjes die hun handen in de limonadeplas lieten liggen, zucht...
- een snotneus aan het afvegen (het kind nieste, en er schoot een gifgroene draad omlaag, brrr!)
- twee stoeiende jongens uit elkaar

aan het halen, waarbij Isa een stevige beuk van een kleuterelleboog tegen haar jukbeen krijgt
- plakjes cake uit de mond van vier kleuters aan het redden (toen één kind het oppakte, wilden de anderen ook gauw hun cake eten)
- de stoelen overeind aan het zetten die bij het knokken zijn omgegooid

...en dan duren acht minuten lang, hoor!

Later, als het feest eindelijk toe is aan het finalespel, namelijk de speurtocht, voelt Isa haar wangen gloeien. Ze heeft een lading kinderjasjes in haar handen, en ze wil de kinderen helpen bij het aantrekken, maar de meesten trekken hun jas al ruw uit haar handen. Krak, ze voelt een nagel breken – of was dat haar hele vinger?!

Pfft, één ding is nu wel even zeker: voor haar géén kinderen, misschien wel nooit! (Nou, oké: niet *nooit*, maar toch vooral ook niet te snel.) Sharissa is steeds strenger tegen de kinderen gaan praten. 'Iedereen de jassen aan!' roept ze zo hard ze kan. Met haar donkere huid wordt Sharissa natuurlijk niet felrood, maar toch kan Isa zien dat ze een blos op haar wangen heeft.

'Bijna klaar,' verzucht Isa tegen haar als ze met haar groepje naar buiten gaat.

'Ja.' Sharissa knikt hijgend. 'Dan gaan wij lekker languit al het snoep opeten dat die kleintjes lieten staan.'

Isa heeft het stiekem goed in de gaten gehouden: dat zijn nog hele bakken chips en snoepjes – yes.

Ze wijst lachend op de groep kleintjes die in de richting van de pijl loopt. 'Ik wil nu eindelijk ook wel zo'n *sugar rush* als zij hebben.'

'Ja!' Sharissa grijpt Isa bij de hand en doet de kleuters overdreven na: 'Daar is een pijl, een pijl!'

Isa lacht. 'Ik wil erheen!'

Ze doet de gekke bewegingen die ze vanmiddag ook een paar keer deed. Ze 1) beweegt allebei haar armen fladderig heen en weer, 2) schudt haar hoofd alsof ze epilepsie heeft of zo, 3) slaat haar handen tegen haar hoofd alsof ze een trommel is, en 4) hijgt alsof er ieder moment kwijldraden uit haar mond glijden.

Het ziet er heel grappig uit, maar ze vergeet dat ze inmiddels *buiten* loopt.

beetje hyper...

'Hoi Isa.'

De meiden vallen stil. Niet zomaar stil. Het is stil met een emotie. Soms val je stil van de zenuwen, of van pure bewondering. Maar Isa valt vandaag stil van schrik. En Sharissa is ook stil, maar bij haar is het omdat ze uit alle macht haar lachen moet inhouden. Het liefste zou die het uitschreeuwen van pret, want degene die nu langs hen loopt is Orlando – haha, *Orlando*!

Isa kan zichzelf wel voor haar hoofd slaan!

Waarom, wáárom heeft ze er niet bij nagedacht dat hij hier soms loopt! De eerste keer dat ze hem zag, was nota bene op de stoep voor Sharissa's huis!

Stom, stom, stom!!

Die avond op Ch@tgrlz komen de meiden (helaas) óók niet meer bij:

Sharissademooie:

Jullie hddn rbij moetn zijn, haha!

Kyyyyraaaa:
ShIt, DaT hAd Ik GrAaG gEzIeN!
Sharissademooie:
Haha, het zg er echt nt uit!
Kyyyyraaaa:
Nu MaAr HoPeN dAt HiJ StIeKeM oP gEkKeN vAlT :-)!

Isaiszó:
O, wat erg, o, w@t erg...
FlowerFleur:
Nou, ik vind het zielig. Arme Isa!

Isaiszó:
Arme ik...

Sharissademooie:
Weet je wie ps zlig is? Orlnd!
Kyyyyraaaa:
Ja, HaHa, OmDaT hIj BiNnEnKoRt MeT iSa GaAt En NoG nIeT eEnS wEeT dAt Ze NiEt SpOoRt!
Isaiszó:
O?
Sharissademooie:
Tuurlk gaat hij ng met jou. Wat dnk je dan?
FlowerFleur:
Denken jullie dat jongens zoiets kunnen euh, vergeten?
Kyyyyraaaa:
TuUrLiJk! HiJ wEeT nU tEnMiNsTe DaT jE mEt IsA kAn LaChEn!
Isaiszó:
Tsj@, als je het zo zIet...

Sharissademooie:
OrlndO en Gkke Isa.
FlowerFleur:
Klinkt goed.
Isaiszó:
Ja, d@t klinkt goed – nu ma@r duImen dat hIj het nIet echt érg vond...

Kleding:

- Korte zwarte short
- Paars satijnen bloesje
- Paarse pumps

Tip: Bij zo'n kort broekje moeten je benen er natuurlijk wel goed uitzien. Scrub ze daarom voor het feest en smeer ze daarna in met een glitterende bodylotion voor een extra feestelijk effect.

Make-up:

- Naturel lipgloss
- Smokey eyes
- Zo maak je die:

Stap 1: Teken met een zwart oogpotlood een dik lijntje boven en onder je oog.
Stap 2: Veeg de lijntjes uit en werk ze eventueel bij.
Stap 3: Krul je wimpers en breng mascara aan.

Accessoires:

- Grote zilveren armbanden
- Zilveren ringen

Haar:

- Los en gekruld met de krultang

— Kusjesdans —

Het was op mijn eigen disco (!!!!!) bij de kusjesdans! Dan mag iedereen elkaar kusjes op de wang of mond geven. Een jongen uit mijn klas wist niet dat het liedje al bezig was. Hij vroeg wat we gingen doen.

Ik probeerde hem een kus op de wang te geven...

Hij schrok ervan!

En duwde me weg!

Iedereen zag het – ik struikelde over de vriendin met wie ik de disco gaf! (En viel bijna op de grond!)

Zo gênant!

— Italië —

Met veel familie was ik deze zomer op vakantie in Italië. Er was ook een disco, daar gingen mijn nichtje en ik heen.

Het was er heel gezellig, alleen was het jammer dat er bijna geen Nederlandse jongeren waren. Heel dicht bij ons stond een jongen die ontzettend lelijk was, maar wel mooie schoenen aan had.

Dat zeiden mijn nichtje en ik tegen elkaar in het Limburgs (ik kom uit Limburg). Ongeveer vijf minuutjes later komt een vader die jongen halen – en die spreekt óók in het Limburgs. Toen konden we echt door de grond zakken omdat die jongen ons dus helemaal had verstaan.

Het was niet onze bedoeling om hem te beledigen. Gelukkig zijn we hem die vakantie nooit meer tegengekomen!

— Punch —

Op een schoolfeest was ik aan het dansen met mijn vriendin. Ze kreeg dorst en ging zitten met wat drinken. Toen ik ook drinken ging halen, brak mijn hak af en viel ik... op de tafel. Ik kreeg de punch over me heen en HIJ zag het allemaal. O, help.

BLUNDERR

Isa en Fleur kijken elkaar lacherig aan – wat heeft Kyra nu weer bedacht? Toen de bel voor de pauze was gegaan en ze naar buiten liepen, greep Kyra hen plotseling bij hun arm en trok hen mee.

'We gaan eieren zoeken.'

Aan de rand van het plein, bij de bosjes, staan jongens en meiden met net zo'n verbaasde blik op hun gezicht, als Fleur en Isa. Toch blijft iedereen wachten. Kennelijk zijn er dus wel méér mensen die zich laten overrompelen door Kyra. (Gelukkig maar, dan hoeft Isa zich voortaan niet meer zo'n kleuter te voelen als het gebeurt.)

Met z'n allen kijken ze verbouwereerd in de richting van Kyra, die naast de deuren staat waar de enorme stroom scholieren uit komt. Af en toe plukt ze er iemand uit, zoals ze net bij Isa deed.

'Ah!' Kyra grijpt Tijn en Delano bij de arm. 'Jullie wil ik er ook bij.'

Verbaasd kijkt Tijn wat er gebeurt, maar als hij zijn zusje Fleur bij de groep ziet staan, laat hij zich toch maar meevoeren.

'Wat doet ze?' vraagt Tijn.

Fleur haalt haar schouders op.

Isa lacht. 'Ze doet wel vaker gekke dingen.'

Ze zegt het net iets te hard. Nu iedereen zo afwachtend bij de bosjes staat, wil Isa toch graag laten weten dat Kyra haar nicht is – erg eigenlijk. Kennelijk heeft ze ergens, diep in haar onderbewuste, toch een kantje dat graag stoerder wil zijn dan ze is. Zodat ze niet denken dat Isa *zomaar* een brugpieper is, of zo. Nee, ze is het nichtje van de lawaaiige jongensgek Kyra. En dus misschien óók wel net zo gek, of grappig, of brutaal... (Of rijk, maar nee: dat is ze helaas niet!)

Fleur vraagt: 'Wat denk je dat ze van plan is?'

Isa antwoordt, nonchalant en nog steeds te luid: 'O, waarschijnlijk zoekt ze een reden om met iemand de bosjes in te duiken.' Ze kijkt met pretoogjes om zich heen, om te checken of een van de jongens zich misschien aangesproken voelt.

Een meisje wijst sloom voor zich uit: 'Het gaat vast om hem, dat is zo'n lekker ding.'

Isa kijkt – nog steeds met een eigenwijze glimlach – naar haar nicht, maar dan krijgt ze onverwacht een klap tegen haar hoofd: PATS.

Geen echte, dat niet, maar ze krijgt gewoon een grote schok te verwerken – SCHRIK.

Aan Kyra's arm loopt iemand..., met zo'n ongelooooooflijk lieve vragende blik op zijn gezicht. Zo knap is hij, zijn haren deinen als die van een filmster. Hij kijkt naar het groepje tieners en Isa zakt per ongeluk een stukje door haar knieën.

Haar hart begint te bonzen.

Haar handen worden klam.

Kyra heeft *Orlando* uitgekozen. Háár Orlando! Zou ze, zou ze... dat expres hebben gedaan?

Fleur geeft Isa voorzichtig een elleboogstoot. Ze fluistert superzacht: 'Kijk eens wie we daar hebben.'

'Ik zie het.' Isa wil graag knipperen, maar het lukt haar niet.

Hij komt recht op haar aflopen, *hij*. Isa moet iets zeggen, maar ze heeft geen idee wát. Hoe dichterbij hij komt, hoe meer ze in paniek raakt. 'Ik moet iets zeggen, maar wat zal ik zeggen, watkanikzeggen, watmoetjezeggentegen dejongenvanjedromen?!'

‘Hoi,’ zegt Orlando.

‘Hmbl,’ knikt Isa terug.

Shit, nu kan iedereen van de groep zien hoe Niet Stoer ze is. Terwijl ze net nog deed alsof ze dat wél was! Oooo, dit wordt alsmaar erger!

‘We gaan beginnen.’ Uit haar tas pakt Kyra twee zakken chocolade-eitjes en ze zegt lachend: ‘We gaan even lekker met elkaar de bosjes in.’

Isa kan het niet helpen: ze is – poef – meteen rood geworden. Shiiiit.... (Laat Orlando het *please* niet hebben gezien!)

Kyra trekt de plastic verpakkingen open, slingert de eieren eruit en roept: ‘Eitjes zoeken, vrolijk Pasen!’

Het zijn vooral de grotere tieners die meteen moeten lachen en zich juichend in de bosjes storten. Eén van hen legt zijn arm om Orlando en trekt hem mee. Isa ziet het. Ze stapt erachteraan. Natúúrlijk doet ze dat.

Ze a) wil zich niet laten kennen, b) is te nieuwsgierig hoe het zal zijn, c) vindt het eigenlijk allemaal heel grappig bedacht van Kyra en d) hoopt dat ze hem dáár tegenkomt... In de bosjes... Hoe mooi zou dat kunnen zijn...

Dan was iedereen opeens vertrokken, en waren Isa en Orlando de enigen die er nog liepen. Door het *Paasbos* – dat nu precies leek op een sprookjesbos, één waar chocolade-eieren op alle boomtakken lagen.

‘Hai,’ zei Orlando, en hij pakte haar hand. (Isa begon te gloeien als een vuurvliegje.) Samen begonnen ze te wandelen. Over het bospad, dat wel van goud leek. Isa was net Dorothy uit *The Wizard of Oz*, en Orlando leek net een jonge, gespierde Robin Hood, of zo.

Glimlachend keken ze elkaar aan. Orlando sprong omhoog en greep een choco-ei van een tak.

‘Hier,’ zei hij.

Isa pakte het aan. Ze zei niets, maar sloeg haar ogen

dankbaar neer, zoals filmsterren dat zo prachtig kunnen. Ze opende de glinsterende folie en hapte in de chocolade, die verrukkelijk smaakte: zoet en zacht...

'Mmm,' deed ze – maar dan zo charmant dat het niet veelvraterig klonk.

'Lekker?' vroeg Orlando met die sterretjes in zijn ogen.

Isa knikte. 'Proeven?'

Orlando schudde zijn hoofd. 'Hij is voor jou.'

Samen liepen ze verder.

Toen Isa de chocolade had opgegeten, keek Orlando haar aan en zei: 'Je hebt een beetje geknoeid.'

'O ja?' vroeg Isa, maar gelukkig voelde ze zich niet meteen zo'n domme koe als ze normaal doet.

'Ja, hier.' Orlando legde zijn handen op haar schouders en keek haar aan.

Het duurde even voor Isa begreep wat hij ging doen.

Hij boog iets voorover in haar richting, en gaf haar een kus, vlak naast haar mond. Isa kreeg er gelukkig geen zweetaanval van, maar voelde hoe lief en zacht zijn kus werkelijk was.

Orlando keek haar aan. Met die heerlijk verliefde blik in zijn duizelingwekkend blauwe ogen.

'En hier.' Opnieuw boog hij naar haar toe. Isa sloot haar ogen. Ze voelde hoe zijn kus haar mond raakte en–

‘Hee, heb jij helemaal niks?’ schreeuwt Kyra lacherig.

Geschrokken opent Isa haar ogen, en beschaamd ook: is aan haar te zien wat ze dacht? Laat dat als-je-blieft niet zo zijn!

‘Moet je zien, Isa staat hier met helemaal niks, haha!’ Kyra stapt uitgelaten de bosjes uit, met haar handen vol paaseitjes.

Pas nu merkt Isa dat de bel kennelijk is gegaan, want overal pakken mensen hun tas op en gaan naar de deur.

De anderen komen ook supermelig uit de struiken. Sommige meisjes lachen hysterisch, en de jongens zijn schreeuwerig van de pret. Tijn en Delano rennen over het plein terwijl ze elkaar bekogelen met eitjes en zelfs Fleur heeft haar handen vol.

‘Ah, heb je niks?’ zegt een stem achter haar. ‘Hier.’

Orlando drukt één roze eitje in haar hand en loopt naar het gebouw waar hij les heeft. Isa kijkt hem na, met grote ogen en een open mond. Pas als Fleur een stiekeme kneep in haar bil geeft, springt ze op en lacht.

‘Zag je dat?’ vraagt ze opgewonden.

‘Ik zag het,’ knikt Fleur.

‘Hij gaf me een ei!’

Isa’s paasfeest heeft dit jaar haar hoogtepunt al bereikt voor het goed en wel is begonnen...

Die avond kunnen de meiden op Ch@tgrlz óók hun geluk niet op:

FlowerFleur:

O, het was zooooo lief om te zien.

Isaiszó:

WaUw, hIj deed het echt hè, hIj g@f me een eItje van hemzelf!

Sharissademooie:

Zcht, wat romntisch...

Kyyyyraaaa:
MaAr WaArOm HaD jE zElF nIkS gEzOcHt?
Isaiszó:
Ikeuh...
FlowerFleur:
Omdat ze stond te dromen over Orlando, haha!
Isaiszó:
J@, dat hIj me kUste. Erg hè?
Kyyyyraaaa:
HeT wAs AnDeRs ÓóK dE bEdOeLiNg DaT íK gEkUsT wErD.
FlowerFleur:
O ja? Door wie?
Kyyyyraaaa:
DoOr JoUw bRoEr NaTuUrLiJk!
FlowerFleur:
Hè?! Die ken je amper!
Kyyyyraaaa:
AmPeR iS tOcH GeNoEg? HiJ iS zO kNaP...
Isaiszó:
Zit je toch nog steeds @chter hem a@n?
Sharissademooie:
Mr hij vlt heleml niet op jou.
Kyyyyraaaa:
MaAr DaN kAn HiJ mE tOcH wEl kuSsEn! OkÉ, oKé, Ik SnAp HeT aL: zO WeRkT hEt NiEt, HeLaAs.
Sharissademooie:
Isa is tnmnste wel gekst.
FlowerFleur:
Ja, haha, in haar dromen!
Isaiszó:
HihI, het pa@sfeest is een droomfeest voor mIj...

Kledingtips Sharissa:

Kleding:

- Zwarte broek met uitlopende pijpen. Door het model van deze broek lijken de Surinaamse billen van Sharissa minder vol.
- Overslagtop met groen-zwart-wit grafische print. Kies voor een wat langere top om je figuur in balans te krijgen.
- Gouden (Spaanse) dansschoenen. Deze schoenen lopen makkelijk en geven toch de billenlift van een goeie hak.

Make-up:

- Bruine oogschaduw
- Mascara
- Een beetje lipgloss

Tip: Bruine oogschaduw laat zowel blauwe als bruine ogen goed uitkomen. Bij mensen zoals Sharissa staat het ook nog eens mooi bij de donkere huidskleur.

Accessoires:

- Kort gouden kettinkje
- Grote gouden hangoorbellen

Haar:

- Los met een groen of wit sjaaltje.

Koninginnedag met prinses Isa

Giechelig staan Sharissa en Fleur ’s ochtends bij Isa op de stoep. ‘Wat heb je?’ vragen ze.

Zelf hebben ze een rood-wit-blauwe vlag op hun voorhoofd geschminkt, en een oranje T-shirt aan. Ze hebben hun fiets aan de hand, want achterop staan grote dozen met spullen om te verkopen op de vrijmarkt.

‘Babykleertjes,’ antwoordt Isa in haar oranje broek. ‘Van mezelf, toen ik klein was.’

‘Aaahh,’ doen Sharissa en Fleur in koor. Ze hebben er duidelijk zin in, want ze bekken elkaar helemaal niet af. Gelukkig maar, want Isa wordt er soms doodmoe van hoe kribbig die twee tegen elkaar kunnen doen.

‘Mijn moeder moest huilen,’ gnuift ze. ‘Zie je het voor je?’ Ze pakt een mini-shirtje uit de vuilniszak waarin alles zit. Het is knalroze en op de buik zit een plaatje van een prinsessenhoofdje, waar échte haartjes (oftewel: sliertjes wol) onder het kroontje uitpieken.

‘Had je dat aan?’ vraagt Fleur met dezelfde zoete stem.

Isa lacht. ‘Mijn moeder stond gisteravond met tranen in d’r ogen te zeggen dat ik er zooo lief uitzag als baby!’

‘Nu nog steeds hoor,’ knikt Sharissa. ‘Zullen we gaan?’

Met zijn drietjes wandelen ze naar de plek die Kyra voor ze bezet houdt.

‘Ah, daar zijn ze.’ Kyra staat op en zwaait breed naar de meiden. ‘Joehoe!’

Mensen kijken naar Kyra om, maar zoals altijd kan haar dat niks schelen. ‘Hier zitten we!’

Isa glimlacht terug, en kijkt vol verbazing naar de superleuke spullen die Kyra nu weer heeft verzameld: best wel nieuwe cd's, kleren-van-het-afgelopen-seizoen, een paar kettingen en armbanden waar het prijskaartje nog aan zit en zelfs gloednieuwe make-up.

Ook Fleur staat er met grote ogen naar te kijken. 'Leg je *nieuwe* dingen neer om te verkopen?'

Kyra haalt haar schouders op. 'De muziek zit allang in m'n iPod. De rest heb ik niet gebruikt, en nu heb ik ruimte nodig voor de dingen die ik voor de zomer wil kopen. Dus.' Ze staat op. 'Iemand iets te drinken?'

Ze trekt drie soorten frisdrank tevoorschijn: cola, fanta en spa.

Isa, Fleur en Sharissa beginnen een beetje beduusd uit te stallen wat zij hebben meegebracht. Naast de babykleertjes van Isa zijn er nog wat oude spellen, een paar kinderboeken, poppen uit de oertijd (die armen of benen missen), en Fleurs moeder heeft ook nog stropdassen en werktassen van haar vader meegegeven. (Onder het motto: opgeruimd staat netjes, want ze hopen hem nooit meer te zien.)

Al met al hebben ze best wel veel, en ze denken vandaag toch wat euro's te verdienen.

'Oké,' zegt Kyra nadat ze iedereen een blikje cola in handen heeft gedrukt. 'In deze tas zitten drie zakken chips, en daar heb ik twee pakken pannenkoeken gelegd, plus een flesje stroop. Redden jullie je zo?'

'Hm?' vraagt Isa.

'Ik zie mijn vriendinnen aankomen. Redden jullie je zo?'

'Ga je weg?'

Opnieuw haalt Kyra haar schouders op. 'Ik hoef er toch niet bij te blijven zitten? Bij *brug*klassers? Ik ga feesten!'

'Maar dit *is* het feest – we zouden toch spullen verkopen?'

'Jullie, ja. Ik niet. Ik heb mega coole dingen gegeven om te verkopen. Jullie hoeven niet bij te houden wat van wie is, oké, we splitten op het einde gewoon al het geld.'

'O,' doet Isa dan maar.

'Ik vind het wel goed,' knikt Sharissa.

Fleur zegt dat ze het er ook mee eens is en wijst naar Kyra's luxe 'troep'. 'Dat zullen we allemaal wel verkopen, verwacht ik.'

'Mooi, dan kan ik gaan.' Maar Kyra vraagt haar vriendinnen om nog even te wachten en zegt: 'Eerst moet ik nog...' Ze pakt een mascararoller uit haar zak en doet mascara op Isa's wimpers.

Isa heeft geleerd dat het geen zin heeft om Kyra tegen te spreken, en laat het maar gebeuren. Stiekem vindt ze het trouwens ook wel leuk want uit zichzelf zou ze zich niet zo gauw opdoffen.

Daarna tekent Kyra een Nederlandse vlag op allebei Isa's wangen. 'Je weet maar nooit wie je vandaag nog tegenkomt,' zegt ze met een knipoog. Dan vertrekt ze.

De meiden blijven lacherig achter bij de spullen.

Ver in de middag staan ze luidkeels hun laatste spullen aan te prijzen.

'Mooi truitje voor uw kleine prinses!' gilt Isa met haar babyshirt in de hand. Ze heeft zo hard geschreeuwd en gelachen, dat haar stem schor is geworden.

Dankzij de frisdrank en chips van Kyra hebben ze een

smakelijke dag – en dankzij haar dure spullen hebben ze ook flink veel geld verdiend. Al bijna tweehonderd euro heeft Fleur in haar zak, dat is vijftig per persoon. Nogal logisch dat ze vrolijk zijn!

Hopelijk kunnen ze nog wat laatste dingen verkopen, dan laten ze de rest achter en gaan ze zelf de stad in.

'Wat heb je daar?' vraagt iemand.

Isa praat knalhard terwijl ze zich omdraait: 'Mooi truitje voor uw kleine–' Dan voelt ze ineens een por in haar rug. Sharissa knijpt onopvallend in haar bil (auw), en pas daarna ziet Isa de vriend van Orlando staan. En achter hem... Orlando zelf. Ze maakt haar zin fluisterend af: '...prinses.'

Orlando kijkt haar aftastend aan, met die duizelingwekkend oceaanblauwe ogen van hem. 'Is dat van jou geweest?' vraagt hij.

Isa knikt schaapachtig. 'Toen ik een baby was.'

'O?' vraagt hij. Op zijn wangen zitten ook twee Nederlandse vlaggen geschminkt. In zijn hand houdt hij een blikje cola. 'Dus niet van vorig jaar?'

Isa lacht – oei, veel te hard lacht ze, als een hinnikend paard, echt, en ze kan er niet mee stoppen, wat erg!

'Sorry, hihi!' Ze draait zich even om, en ziet de veelbetekenende blik van Fleur – ook al heeft ze geen idee wát die blik dan precies betekent.

Orlando trekt zijn wenkbrauwen op en kijkt haar grinnikend aan. 'Moet je lachen?'

Maar daardoor krijgt ze er zowat nóg een lachstuip overheen. Het is de eerste keer dat hij een grapje tegen haar maakt, zou het daardoor komen? Of gewoon van de plotselinge zenuwen die opsteken als ze hem ziet?

Nog even staat hij haar aan te kijken met die glimlach rond zijn mond. Dan zegt hij: 'Ik koop het.' Hij pakt een euro uit zijn zak en geeft die aan Isa. 'Voor de prinses,' zegt hij en Isa bezwijkt zowat.

'Dank je,' zegt ze. Maar door de zenuwen en haar schorre stem, klinkt het meer als: 'Gronk gnork.'

Orlando stopt het truitje in zijn jaszak en loopt door. 'Doei.'

De meiden wachten twee, vier, zes tellen voordat ze het niet meer houden en beginnen te gillen.

Die avond kunnen ze er op Ch@tgrlz nog steeds niet over uit:

Kyyyyraaaa:
EcHt WaAr; ZeI hIj: 'VoOr De PrInSeS?'
Sharissademooie:
Hij is zó vrliefd op je!
FlowerFloor:
Ja, dat moet wel, toch? Hij vindt je in ieder geval leuk.
Isaiszó:
Ma@r mIsschien bedoelt hIj *gewóon* leUk.
Sharissademooie:
Cht nt!
FlowerFloor:
Nee joh!
Kyyyyraaaa:
ZoEnEn ZiT eR zEkEr In, DaT gElOoF iK nU wEl.
Isaiszó:
☺☺☺
FlowerFloor:
Maar ze wil niet alleen zoenen, ze wil verkering!
Sharissademooie:
Dt wl hij wel. Jij bnt zijn prinss. Hij hft het zlf gezgd.
FlowerFloor:
Ja, hij zei het echt.
Kyyyyraaaa:

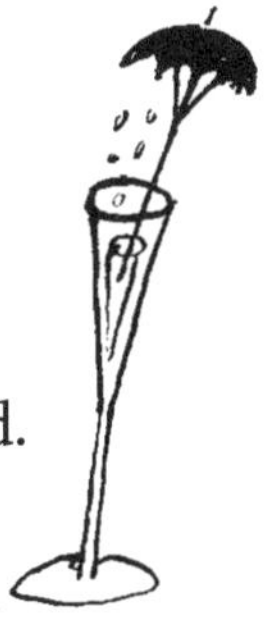

OoOh, Zo SeXy!
Isaiszó:
Ik ben helema@l h@ppy!

— Verliefd —

We hadden eindelijk een schoolparty, mijn vriendin en ik hadden ons helemaal sexy gekleed. Ik was al heel lang verliefd op een hele leuke jongen, en ze vond dat ik deze avond de first step moest zetten.

Maar alles ging mis wat mis kon gaan...

Toen we eindelijk klaar waren met optutten, stapten we op de fiets. Ik was aan het dromen en keek dus helemaal niet uit, en ik belandde in de bosjes. Dat leverde me twee ladders in m'n panty op. Ik baalde heel erg maar mijn vriendin zei dat het wel stoer was, en ik moest naar dat feest van mezelf dus ik stapte weer op de fiets en we reden verder richting school.

Toen we op school waren, hingen we onze jassen op en snelden naar de dansvloer. In m'n ooghoek zag ik die leuke jongen staan. Ik had gehoord dat hij van brutale meisjes hield, en dat was ik dus totaal niet. Maar ik greep mijn moed bij elkaar en stapte op hem af, en begon om hem heen te dansen.

Hij scheen het niet erg in de gaten te hebben, maar ik ging gewoon door. Ik dacht dat ik hartstikke stoer was, maar toen ik wilde draaien veranderde dat gevoel heel snel: ik gleed namelijk uit. En hij stond daar met z'n vrienden me maar uit te lachen. En liep vervolgens weg. Daar zat ik dan, midden op de dansvloer.

Toen kwam Joey op me aflopen, dat was een goede

vriend van mij, hij pakte mijn hand en trok me overeind. Ik voelde me niet zo lekker en zei dat ik naar huis ging. Hij zei dat hij me wel naar huis zou brengen. Eenmaal op de fiets vertelde hij me dat hij al heel lang verliefd op me was. Ik zei dat ik hem heel aardig vond maar dat ik niet verliefd op hem was. Tenminste, dat dacht ik toen.

Eenmaal bij mijn huis, stapte ik van mijn fiets af en Joey ook. Hij kwam naar me toe en wenste me welterusten en toen begon hij me te zoenen. Vervolgens liep hij weer terug naar z'n fiets en ging weer. En toen stond ik daar helemaal perplex. Echt, die avond begon zo slecht en hij liep goed af, want ik had m'n eerste zoen gescoord!

Gaat Isa vreemd in de vakantie-disco?

Nieuwsgierig stapt Isa achter Fleur aan naar binnen. De disco is in de eetzaal van een camping, in het dorpje naast Appelstad. De lampen aan het plafond zijn gekleurd met doorzichtig papier, en in het midden hangt een enorme glitterbol. De laatste hit van Karisha knalt uit de enorme boxen. Aan de bar kan je frisdrank krijgen voor vijftig cent.

Tijn gaat er al jaren heen in de vakanties, heeft Fleur verteld, en als ze een vriendin kan meenemen, wil zij er ook graag eens heen. Daarom mag Isa vanavond met hen mee. Nou lijkt het alsof dat gemakkelijk ging, maar dat is niet zo. Want toen Isa thuis vroeg of ze mee mocht, ging het gesprek ongeveer als volgt:

Isa: 'Mam, Fleur heeft me gevraagd om mee te gaan naar de disco.'

Papa: 'Absoluut niet.'

Isa: 'Ik vroeg het aan mama.'

Papa (tegen mama): 'Ze mag niet, hoor.'

Nienke: *gniffel gniffel*. (De tut.)

Mama: 'Wat is het precies?'

Isa: 'Het is speciaal voor tieners. Op de camping vlakbij de boerderij van Fleur. Tijn gaat ook en hun moeder haalt ons op.'

Papa: 'Ik vind haar te jong, hoor.'

Mama: 'Niet zo snel zeggen dat ze niet mag.'

Isa: 'We zullen hééél voorzichtig zijn.'

Mama: 'Ik ben vroeger zelf ook wel eens naar een kinderdisco geweest en dat was hartstikke leuk.'

Isa zei maar niet dat het géén *kinder-* maar een *tiener*disco was. Uiteindelijk mocht het gelukkig – meestal lukt het wel als mama iets leuk vindt. (Dan zegt ze dat papa zijn kleine meisje toch ooit moet laten gaan, en heeft hij geen antwoord meer, hihi.)

Achter de draaitafel staat een jongen van een jaar of achttien, of twintig. Wel *cool* oud, maar nog niet *stok*oud. Hij maakt de hele tijd gekke grapjes door zijn microfoon als hij een nieuw nummer aankondigt. ('En het volgende nummer is... *vier* – heeft er iemand bingo?') Isa en Fleur worden er supermelig van.

Op de dansvloer staan kinderen uit het hele land, die voor de meivakantie naar de camping zijn gekomen. Aan de ene kant is het jammer dat Isa's Grote Liefde Orlando er dus niet zal zijn (snik), maar aan de andere kant heeft het ook zijn voordelen dat de meiden niemand kennen – vooral dat niemand hén kent. Nu kunnen ze eindelijk eens gek doen zonder dat ze worden bekeken!

Normaal rennen ze niet zo gauw de dansvloer op, maar nu duurt het slechts een half nummer voordat Isa en Fleur lacherig tegenover elkaar staan. Ze stappen naar links – een, twee – en weer terug naar rechts – drie, vier. Daarbij wapperen ze snel met hun armen in de lucht: links, twee-drie-vier, rechts, twee-drie-vier. Disco yeah! (Wat zou Orlando wel denken als hij haar zo zag...)

Omdat het zo'n vrolijke vakantiestemming is, begint al gauw iedereen lekker gek mee te doen. Van een afstandje kijkt Tijn met een brede lach naar zijn zusje en haar vriendin. Hij zal wel denken: brugpiepers. Maar dat kan ze niks schelen!

Hij was al meteen op een meisje af gestapt, met wie hij nog steeds staat te praten. Volgens Fleur kent hij haar van de vorige vakantie-disco's, dus ze hebben verder geen last van hem.

(Toen Fleur over dat meisje vertelde, keek ze erbij met zo'n veelbetekenende blik, dus Isa kijkt nieuwsgierig naar haar: is zij de reden waarom Tijn niet met meisjes van school afspreekt?) (Tot groot verdriet van Isa's nicht Kyra, trouwens.)

Twee jongens komen naast Fleur en Isa staan en beginnen mee te doen. Links – een, twee – en dan naar rechts – drie, vier... Een heeft blonde haren tot op zijn schouders, en de ander hele korte stekeltjes.

Isa kijkt Fleur met opgetrokken wenkbrauwen aan, en dan schieten ze tegelijk in de lach. Oké, denken ze, wat kan ons het schelen. Samen met de jongens dansen ze verder, armen omhoog: links, rechts, links, rechts en dan allebei!

De jongens zijn ongeveer net zo oud als de meiden: twaalf, misschien dertien.

Het is zo'n vrolijke boel, Isa kan zich niet herinneren dat ze ooit zo hard heeft gelachen.

Maar dan zegt de dj van de avond: 'Ennn dannn nuuuu, speciaal voor de stelletjes ooonderrrr onsss...'

Pas als Isa de eerste klanken hoort, dringt tot haar door *wat* voor nummer het precies is! Een SLOW NUMMER! Het is een lied waarbij stellen elkaar horen te omhelzen en langzaam in rondjes draaien! Gloep!

De jongen met de lange haren glimlacht naar Isa – hij

heeft een beugeltje. Dan legt hij zijn handen op haar heupen en Isa kan niet helpen dat ze – poef – al rood geworden is. (Gelukkig kan je dat in het discolicht niet zo goed zien, pfff.)

Hij lijkt het wel normaal te vinden om te slowen, maar Isa heeft het nog nooit gedaan. Wel op de basisschool natuurlijk, met haar vriendje Kadir, maar dat telt niet. Dit hier is toch anders. Ze kijkt Fleur geschrokken aan, maar die kijkt terug met een gezicht alsof ze ieder moment weer een lachstuip krijgt.

Fleur heeft de handen van de stekeltjes-jongen om zich heen. Haar eigen handen heeft ze toen maar op zijn schouders gelegd. Isa besluit hetzelfde te doen, maar ze kan niet helpen dat ze denkt: Kijk mij nou staan. In de disco. Met een jóngen.

Het spijt haar dat het Orlando niet is, al voelt ze een gek soort trots dat ze dit nu doet. Het is zo... écht.

De jongen zet zijn voeten zo, dat ze een rondje draaien, en Isa stapt maar mee. Om zichheen ziet ze niet anders dan slowende kinderen. En kletsende meiden langs de kant. En lachende jongens aan de bar. En dan ziet ze Tijn. Ze schrikt. Hij *zoent*. Met dat meisje. Jee...

Hij houdt zijn handen op haar rug. Vlak boven haar billen. Het meisje wrijft door Tijns haren. Iedereen kan ze zien, maar dat maakt hun duidelijk niet uit – ze gaan helemaal in elkaar op, allemachtig.

Isa kijkt over haar schouder naar Fleur, en knikt in de richting van Tijn. Fleur knikt terug dat ze het heeft gezien, maar die is duidelijk minder verbaasd (en geschokt) dan Isa.

Als dan haar slowende jongen naar haar glimlacht, realiseert Isa zich ineens dat dát misschien is wat hij wil. Zou het? Nú al? Maar dat kan helemaal niet, want ze is helemaal hartstikke op Orlando!

Lieve help, wat zij hier doet… kan dat wel? Als je zo verliefd bent en dagenlang droomt van die ene onbereikbare Held In Je Bestaan, kan je dan zomaar slowen met iemand anders? Of zou dat ook al vreemdgaan zijn?

Ze hield hem al een beetje onhandig bij zijn schouders vast, maar nu wordt het helemaal erg: Isa zorgt ervoor dat ze de jongen (ze weet zijn naam niet eens!) nooit aanraakt. Tenminste, niet met iets anders dan haar handen.

Ze legt haar hoofd niet op zijn schouders zoals ze sommige meisjes ziet doen. Ze verschuift haar handen niet naar zijn rug, zoals anderen doen. Ze raakt hem niet per ongeluk aan met haar heupen en botst ook niet met haar knie tegen de zijne. Ja, ze staat zelfs geen moment op zijn tenen! Zo slowt ze door, met ingehouden adem, tot het nummer eindelijk is afgelopen.

'Oké, doei,' zegt ze gauw, en draait zich snel om. Ze trekt Fleur aan haar mouw mee en sist: 'Straks willen ze zoenen!'

'Zou het?' Fleur laat zich luid lachend door Isa meetrekken.

De rest van de avond blijven ze toch maar met zijn tweetjes. Lekker dansen en lachen, en cola drinken. Pas als Fleurs moeder voor de deur staat, laat Tijn zijn meisje los. In de auto zeggen ze dat ze het leuk hebben gehad, maar ze verklappen niets, en zeggen geen woord over de rare jongens…

De volgende dag is Kyra's hart gebroken op Ch@tgrlz:

Kyyyyraaaa:
WaS tIjN eChT mEt EeN mEiSjE? WaT eRg!
FlowerFleur:
Ze kennen elkaar al jaren, vertelde hij me vandaag.
Kyyyyraaaa:
AaRgG…

FlowerFleur:
Ze woont helemaal aan de andere kant van het land.
Isaiszó:
Ik vInd het romantIsch.
Sharissademooie:
Hbbn jllie ook geznd?
Isaiszó:
Nee joh, hah@!
FlowerFleur:
Isa wilde niet, maar er was wel een jongen die haar leuk vond!
Isaiszó:
En jou ook, FleUr! ;-)
Kyyyyraaaa:
En HeBbEn JuLlIe NiKs GeDaAn?!
FlowerFleur:
Niet echt, nee.
Sharissademooiste:
Sffrds!
Isaiszó:
Het w@s zo gek, Ik had echt even een gevoel alsof ik vreemdgIng.
FlowerFleur:
Ze moest de hele tijd aan Orlando denken.
Sharissademooie:
Vrg hem dan eindlk eens!
Kyyyyraaaa:
Ja, VrAaG hEm NoU!
FlowerFleur:
Ik ben met ze eens dat het wel heeeel leuk zou zijn als je hem vroeg...
Isaiszó:
MisschIen moet ik het toch ma@r eens ga@n doen, hè?
(Brr, eng!)

Kledingtips Fleur:

Kleding:

- Lichtblauw jurkje met pofmouwtjes en empirelijn. De empirelijn is een taille net onder je borsten. Door topjes met zo'n taille te dragen lijken je borsten groter.
- Zwarte legging
- Glitterballerina's

Tip: Je kunt een simpele outfit opleuken met accessoires die bij elkaar passen.

Tip: Vind je een jurkje te kort om zonder iets eronder te dragen? Een legging is dé oplossing.

Make-up:

- Mascara
- Gekleurde lipgloss

Niet zo'n durfal, net als Fleur? Houd je make-up dan lekker rustig met wat mascara en een leuk glossje.

Accessoires:

- Lange ketting met leuke hanger
- Zilveren vlinderknopjes

Haar:

- Een simpele staart

— Floortjes Fruit & marshmellow spies —

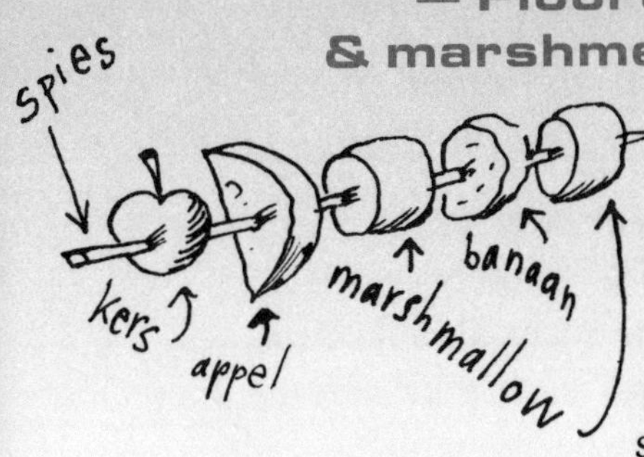

Gebruik aardbeien, kersen en abrikozen. Of blokjes appel, kiwi, rozijnen; en marshmallows of gekleurde gomsnoepjes. Neem lange saté-prikkers en rijg er afwisselend vers fruit en snoep aan. Wissel de kleurtjes zo leuk mogelijk af, en vergeet niet het fruit eerst even te wassen!

Laat dan in een steelpannetje 100 gram pure chocolade smelten met twee eetlepels melk. Giet de warme chocolade in een diep bord en rol de spiesjes door de saus.

Laat ze afkoelen en pak ze in voor de picknick!

— Smoothie —

Doe een handvol aardbeien en een banaan in een mixer. Giet er een scheut yoghurt bij, en liefst ook bramen en bosbessen. Mix alles door elkaar en neem het drankje mee in een thermosfles.

Smoothie

— Kruidenboter —

(voor op een broodje):

Doe boter in een kom – het mag roomboter maar ook margarine zijn. Doe er versgeknipte of gedroogde kruiden bij: basilicum, oregano, bieslook en peterselie. Knijp een teentje knoflook fijn, en prak alles door elkaar met een snufje zout en peper.

Waar blijft Julian op Isa's eerste gala?

Wist Isa veel wat ze aan moest... Ze heeft haar netste jurk aangetrokken, eentje die ze normaal niet zou dragen. (Ze heeft hem eens gekregen voor een jubileumfeest van oma, en daarna nooit meer aan gehad.) En nieuwe, chique schoenen gekocht – met net iets te hoge hakken. Het schoolgala wordt een echt *gala*, zeiden de leraren steeds, waarbij iedereen er netjes uit moet zien.

Ze voelt zich ongemakkelijk in de jurk (hij komt tot op haar enkels, hmm...), maar als alle meiden zo netjes gaan, wil Isa natuurlijk niet achterblijven. De schoenen, ai, die doen nu al zeer aan haar tenen – maar als ze daar niet aan denkt, komt ze de avond vast wel goed door.

Het vervelendste is eigenlijk de klem die in haar achterhoofd prikt. Ze heeft haar haren opgestoken om er extra netjes uit te zien en alles stevig vastgespoten met haarlak. Het staat eerlijk gezegd heel goed, maar ze is er toch *anders* door. Bovendien beweegt de klem mee als ze met haar hoofd schudt, en dat voelt zo gek!

De hele onderbouw is uitgenodigd en iedereen heeft er ontzettend veel zin in. Ze gaan met z'n allen eten en daarna komt de schoolband optreden. Isa kan niet wachten. Ze heeft zin om eindelijk als vriendin-van-Julian* op een schoolfeest te zijn!

Fleur is bij Isa komen eten en blijft straks logeren. Ze rijden samen op Isa's fiets naar school. Fleur trapt – zij heeft een veel betere conditie (en een nette zwarte broek aan) – en Isa zit achterop haar jurk vast te houden zodat die niet tussen de spaken komt.

'Denk je dat Julian me bij de ingang staat op te wachten?' vraagt Isa.

'Ik mag hopen van niet!'

Isa glimlacht; Fleur houdt er niet van als jongens laten zien hoe leuk ze je vinden. Ze wordt er ongemakkelijk van, zegt ze, en dan weet ze helemáál niet meer hoe ze zich moet gedragen!

Maar Isa zou het niet erg vinden, hoor. Van haar mag Julian in zijn galakostuum bij de deur staan wachten. Bosje rozen in zijn handen – o nee, beter één roos... Een rode, meterslange, bloeiende roos (zonder doornen), die hij haar liefdevol geeft zodra ze naast hem staat. Ze zou a) charmant haar ogen sluiten van verlegenheid en blozend 'Dank je' fluisteren, waarna hij nóg verliefder op haar was... b) dankbaar een arm om hem heen leggen en een kus op zijn wang drukken, of nee, waarschijnlijk deed ze c) hysterisch giechelen en zo onhandig naar binnen stappen dat de roos tegen de deurpost aankwakte, hmm... Misschien dus toch maar geen roos!

Maar hij mag haar wél opwachten! Misschien wordt hij ermee geplaagd door een (of twee) vriend(en), maar het maakte hem niks uit – hij wilde nou eenmaal zijn lieve meisje opwachten, dus deed hij dat. Een beetje nerveus zou hij zijn, maar niet zo erg dat het niet

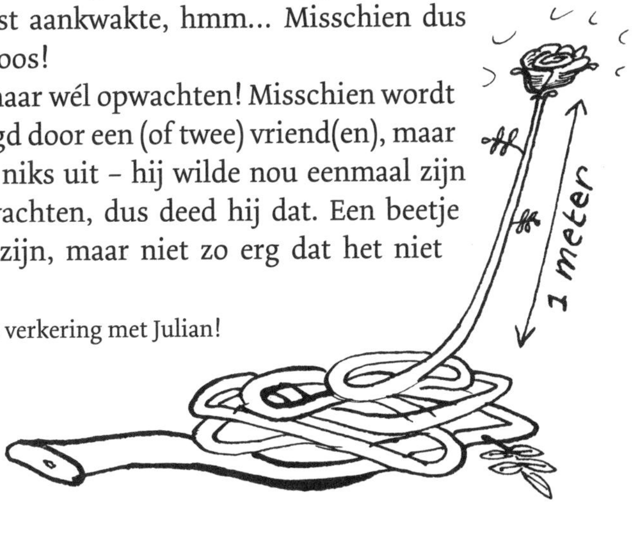

1 meter

* Isa heeft intussen verkering met Julian!

meer stoer was. Vrolijk zou hij zijn, maar niet zó dat het gênant was. In ieder geval zou hij lief zijn, aardig. Want dat is hij. Daarom is hij ook haar vriendje.

'Voorzichtig met afspringen,' zegt Fleur dan.

'Zijn we er al?'

'Ja, duh,' doet Fleur.

Maar Isa had het echt niet in de gaten! Meteen beginnen de zenuwen door haar lijf te gieren. Ze kwamen alsmaar dichter bij school, en Isa heeft die tijd niet eens gebruikt om te bedenken hoe ze zich wil gedragen, wat erg!

Hoe doe je dat bij aankomst op een schoolgala? Moet je:

- lachend in de armen van je vriendinnen rennen
- 'cool' om je heen blijven kijken totdat de anderen naar jóú toe komen (dat zou Isa niet eens kunnen...)
- zenuwachtig aan je kleren frunniken en opgelucht zwaaien zodra je een bekende ziet
- nergens op letten en gewoon als een diva naar binnen gaan alsof het feest pas kan beginnen zodra jij er bent?

Hmm...

Julian staat haar niet op te wachten bij de deur, helaas. Hij is ook niet in de garderobe, en nergens te bekennen in de aula. Of ja, toch wel, daar staat hij! In een nette broek en een jasje. Isa glimlacht – zelfs in deze kleren is hij de knapste. Hij staat druk te praten met een groepje jongens. Isa twijfelt of ze erheen zal gaan. Eigenlijk hoort het wel hè, als je verkering hebt – maar ja, om tussen zoveel jongens te gaan staan... (en jezelf als een gemakkelijk slachtoffer neer te zetten voor hun flauwe grapjes...) (Want die maken ze natuurlijk!) (Jongens kunnen nou eenmaal niet anders ;-)

'Daar heb je 'm,' knikt Fleur, maar Isa heeft hem dus allang gezien. Ze knikt.

'Ga je naar hem toe?'

Isa haalt haar schouders op. 'Ik weet niet.'

'Ik zoek de tafel voor onze klas.'

In de aula staat tientallen tafels. Met mooie witte tafellakens eroverheen (oké: papieren 'lakens', maar toch) en zelfs brandende kaarsjes. Op elke tafel staan vaasjes met bloemen uit de schooltuin, verschillende mandjes met brood en kruidenboter, plus karaffen met een drankje, waarschijnlijk iets van limonade. Ja, het ziet er echt mooi en gala-achtig uit – en o, nu heeft hij haar ook gezien!

Isa glimlacht lief en zwaait. Nu zal hij op haar toesnellen, hij trekt die roos uit zijn binnenzak en drukt een kus op haar wang... Maar in plaats daarvan steekt Julian zijn hand op. En draait zich weer om. Dat was het. Huh?

'Hier zitten we!' roept Fleur dan, en ze ploft op een stoel.

Isa trekt haar wenkbrauwen op. Komt Julian niet naar haar toe? Wat, maar... zijn ze dan vanavond niet samen als vriendje-en-vriendinnetje op het gala? Blijft hij niet bij haar?

'Isa!' roept Fleur weer. Zij heeft er geen last van dat ze liever bij Delano zou zijn, want dat wil ze niet. En Kyra is ook ergens, maar die staat vast al te kleffen in een hoek.

'Ja,' zegt Isa dan en ze knikt. Ze loopt naar Fleur, die lekkere nepwijn uit een karaf inschenkt. Het is maar een meter of zes, maar plotseling knellen Isa's schoenen zo afschuwelijk dat ze halverwege stilstaat en ze uittrekt.

Op blote voeten zakt ze naast Fleur op een stoel. ‘Hij komt niet eens naar me toe!’

‘Laat hem.’

‘Heb ik mijn mooie jurk aan!’

‘Zie je, dat moet je dus nooit voor jongens doen.’ Fleur pakt een stukje brood en begint er kruidenboter op te smeren.

‘Shit.’ Isa trekt de klem uit haar haren. Nu ziet ze er niet uit, want door de vette dosis haarlak pieken haar haren alle kanten op. Maar het kan haar niks schelen – totdat ze een stem hoort zeggen: ‘Hee schoonheid.’

O! Geschrokken grijpt Isa met beide handen naar haar hoofd. Julian grijnst lief naar haar. ‘Heb je er zin in?’

Isa knikt – ineens staat ze met haar mond vol tanden. Maar Fleur niet, die ‘helpt’ een handje en zegt met volle mond: ‘Ze dacht dat je niet naar haar toe kwam.’

‘Natuurlijk wel,’ zegt Julian. (Isa knikt schaapachtig.) ‘Maar ik ben ook met mijn vrienden, oké?’ (Opnieuw dat suffe knikken...) ‘Tot zo dan.’ En weg is hij.

‘Dag,’ pruttelt Isa hem na.

Verbaasd kijkt ze Fleur aan. En het gekke is: nu is ze tóch tevreden. Omdat ze toch die ene tel aandacht van hem heeft gekregen. Ze neemt een broodje van Fleur aan en hapt erin. Het gala mag wat haar betreft beginnen!

De volgende ochtend begint Fleur er op Ch@tgrlz over:

FlowerFleur:

Als hij niet was gekomen, had je volgens mij een rotavond gehad.

Isaiszó:
Dat weet ik nIet, ma@r ik was wel sUperblIj dat hij even kw@m, ja.
Sharissademooie:
Zou ik ook wlln hr.
Kyyyyraaaa:
Ik NiEt. HeT mOeT nIkS uItMaKeN oF eEn GoZeR eR vOoR jE iS.
Isaiszó:
Maar Juli@n maakt mIj wél uIt!
Sharissademooie:
Natrlk, het is tch haar vrndje?!
Kyyyyraaaa:
ToCh MoEt HeT nIeT uItMaKeN oF hIj Er Is.
FlowerFleur:
Vind ik ook: vriendje of niet, je moet je zonder hem net zo goed kunnen vermaken.
Isaiszó:
Ik kan ook wel zonder hem, ma@r het Is net wat leUker mét hem!
Sharissademooie:
Meidn, Isa hft gewn glijk!
Isaiszó:
Inderda@d SharIs – en jij ook, haha!

Hij komt – een geheime code!

Als schrijfster wil ik jullie graag natuurijk graag vermaken (en laten lachen) (hardop!), maar ook helpen om je sterk en zelfverzekerd te voelen. In de puberteit word je van alle kanten bestookt met dingen die je nerveus maken, zoals een huis vol vreemden binnenstappen, of je geliefde tegenkomen als je je net melig laat gaan... (Al gaan die zenuwen niet helemaal weg als je eenmaal volwassen bent, kan ik je zeggen, ahum.)

Via Ch@tgrlz wil ik je een beetje houvast geven, zodat je beseft dat je niet de enige bent, en kunt lachen om herkenbare situaties waarin Isa en haar vriendinnen terecht komen.

Op www.chatgrlz.nl. staat een extra party-verhaal! Ga daarvoor naar het kopje 'Party extra' en toets deze code in: Isaparty.

In dit boek zijn een paar blunders opgenomen van de meiden die zo dapper waren om ze te vertellen. Helaas kan ik ze hier niet persoonlijk bedanken omdat ik heb beloofd de stukjes anoniem te plaatsen, maar leuk waren ze wel, hè?

Eén iemand kan ik wel noemen, en dat is Floor den Ouden die het recept voor de fruit en marshmallow-spies instuurde – eigenlijk voor mijn boekenserie Plaza Patatta. Bedankt dat ik hem voor Ch@tgrlz mocht gebruiken, Floor!

Tot slot wil ik mijn jonge collega's Eva Wegman en Lisa Koetsenruijter enorm bedanken voor hun fantastische kledingtips voor de Chatgrlz. Op de pagina hierna kun je meer lezen over het boek dat zij samen hebben geschreven.

Nända Roep

Heb je genoten van Ch@tgrlz Party?

En wil je meer weten over mode, lifestyle en beauty? Dan moet je beslist ons boek *Mooi! Voor Minder* lezen.

'Ons' – dat zijn wij, Lisa Koetsenruijter en Eva Wegman. Wij zijn net als Isa echte budgetbabes en ons boek gaat erover hoe je met niet te veel geld toch superstijlvol door het leven kunt gaan. Denk aan een gebruiksaanwijzing voor zelfmaakmasker, tips voor de ideale-maar-niet-te-dure jeans, ideeën voor een coole room, hoe je dingen moet customizen, suggesties voor je eigen onvergetelijke party, oplossingen voor beautyblunders...

Dat en veel meer vind je allemaal in *Mooi! Voor Minder.* Het boek ligt nu in de winkel. Rennen dus!

Groetjes, *Lisa en Eva*